초등학생이 좋아하는 극쓰기 소재 365

KB093713

민상기 지음

초등학생이 좋아하는 글쓰기 소재 365 핸디북

펴낸날 2016년 4월 1일
지은이 민상기
펴낸이 민희진
디자인 편집부
편집 편집부
펴낸곳 연지출판사
신고번호 제2015-000001호
신고일자 2015년 1월 2일
주소 광주광역시 서구 월드컵4강로 109 서광주우체국 사서함 105호
전화 010-2960-7982
팩시밀리 0303-3444-7982
홈페이지 www.younjibook.com
전자우편 younjibook@gmail.com

ISBN 979-11-88755-18-1 73800

비매품

초등학생이 좋아하는 글쓰기 소재 365
#001 ~ #365

#001 순도 99.99%의 순금 똥을 쌌다.

#002 운동장에서 석유를 발견했다.

#003 거울과 가위바위보를 해서 이길 수 있는 방법

#004 바닷물을 달콤하게 해달라고 신을 설득하는 편지를 써라.

#005 세상에서 가장 더러운 시를 써라.

#006 '꾸꺄더쭈뀨벵, 뾰바몽구스무릉'처럼 세상에 존재하지 않는 단어를 10가지 만들어라. 그리고 그 단어의 의미를 정해라.

#007 최고의 민폐

#008 내 의자는 밤에 무슨 생각을 할까?

#009 좋은 놈, 나쁜 놈, 이상한 놈

#010 팥빙수를 먹는데 다이아몬드가 나왔다.

#011 물속에서 숨을 쉴 수 있다면

#012 우리 반에 60살 할머니가 전학을 왔다.

#013 입을 벌릴 때마다 입에서 나방이 나온다.

#014 학교에서 친구들에게 들키지 않고 똥을 싸는 방법

#015 내 인생 최고의 사치

#016 끔찍하게 아팠던 경험

#017 학교에서 배우지 않아서 아쉬운 것

#018 솔직히 이건 엄마가 잘못했다.

#019 신이 당신에게 준 가장 큰 선물

#020 산타가 된다면 누구에게 선물을 주고 싶은가?

#021 30초간 콜라나 주스 같은 음료를 입에 머금어라.
그리고 그 느낌을 생생하게 전달해라.

#022 태양이 사라진 지구의 모습

#023 살기 위해 먹는가, 먹기 위해 사는가?

#024 10억원이 생긴다면 죄를 짓고 1년 정도 감옥에 가도
　　 괜찮은가?

#025 기분 좋은 꿈

#026 모기에게 협박 편지를 써라.

#027 모범생이 갖춰야 할 특이한 조건 5가지

#028 엄마가 좋아하시는 선물

#029 세상이 온통 흑백으로 보인다.

#030 내가 해보고 싶은 아르바이트

#031 유치원 때 내가 좋아했던 그 아이

#032 나는 어떻게 죽을까?

#033 앞으로 꼭 발명되어야 하는 발명품

#034 태어나자마자 말을 하는 아기

#035 상반신은 물고기, 하반신은 사람인 인어공주 이야기

#036 전교 꼴등으로 입학해서 전교 1등으로 졸업하는 학생의
      졸업식 연설문

#037 내 인생 최초의 거짓말

#038 합법적으로 복도에서 뛰어다닐 수 있는 방법

#039 실내화로 할 수 있는 놀이 설명서

#040 초등학교에 7학년이 생긴다면

#041 자고 일어나니 남자(여자)가 되었다.

#042 다섯 쌍둥이를 낳았다. 이름을 지어라.

#043 아빠가 좋아하시는 선물

#044 독재자가 되면 할 수 있는 일

#045 우리 반을 배경으로 소름끼치는 공포 소설을 써라.

#046 이 세상에 나만 남았다.

#047 인류 역사상 가장 위대한 발명품

#048 여름을 시원하게 보낼 수 있는 방법

#049 수업 시간에 짜장면을 먹을 수 있는 방법

#050 내 인생에서 가장 나쁜 짓

#051 학교가 없어진다면

#052 지금 비행기를 탈 수 있다면

#053 세상에서 가장 아름다운 말

#054 남탕에는 있지만 여탕에는 없는 것

#055 선생님에게 듣고 싶은 말

#056 나를 눈물 나게 하는 것

#057 나를 힘들게 하는 것

#058 선생님께서 좋아하시는 거짓말

#059 평범한 하루를 묘사하는 일기를 써라.

#060 5분간 눈을 감고 움직이지 마라.
　　　그리고 무슨 생각이 들었는지 솔직하게 써라.

#061 얼마 전 내가 먹었던 치킨(닭)의 인생

#062 명절에 엄마은행에 맡긴 내 돈을 되찾을 수 있는 묘책

#063 현관문을 여니 기자들이 모여 있다.

#064 내 인생에서 가장 수치스러웠던 일

#065 여기가 천국이다.

#066 냉동인간이 되어 500년 후에 깨어났다.

#067 내가 좋아하는 노래 가사

#068 사형 집행까지 1분 남았다.

#069 내 아버지의 아버지, 그 아버지의 아버지,
　　　또 그 아버지의 아버지는 어떤 사람이었을까?

#070 우주여행을 갈 때 가져갈 물건 3가지

#071 엄마 배 속에 있었을 때의 추억

#072 나에게 1,000만 원이 생긴다면

#073 내가 얻고 싶은 초능력

#074 눈을 떠보니 5살이다.

#075 나쁜 일이지만 하고 싶은 일

#076 애국가를 1절부터 4절까지 바른 글씨로 써라.

#077 엄마를 도와 설거지를 하다가 접시를 깼을 때 엄마의
　　　예상 반응

#078 부러진 연필로 할 수 있는 일

#079 중간·기말고사 전 과목 답안지 vs 1학기 전 과목 숙제
　　　면제권

#080 나는 이럴 때 소소한 행복을 느낀다.

#081 자고 일어나니 돼지가 되었다.

#082 학교에서 선생님에게 혼나지 않을 만큼의 장난

#083 내가 생각하는 적당한 용돈

#084 아주 사소한 것이라도 좋다. 나의 장점 10가지를 써라.

#085 초등학생이 화장을 해도 되는가?

#086 눈을 떠 보니 수영복을 입은 채로 학교 과학실에 있다.
　　　무슨 일이 일어난 걸까?

#087 1가지 과목을 없앨 수 있다면 무슨 과목을 없애겠는가?

#088 유치원과 학교의 다른 점

#089 시간을 멈추는 기계를 발견했다.

#090 가장 최근에 바지에 오줌이나 똥을 쌌던 때

#091 날고 있는 비행기를 지금 당장 착륙시킬 수 있는 방법

#092 지금 당장 하고 싶은 일

#093 갑자기 소리가 들리지 않는다.

#094 선생님께서 자주 하시는 거짓말 Best 3

#095 '이번 소풍은 (   )로 가야한다고 생각
　　 합니다.'로 시작하는 교장선생님께 보내는 편지를 써라.

#096 우리 반에서 가장 인기 있는 친구를 묘사해라.
　　 (단, 이름을 쓰면 안 된다.)

#097 쉬는 시간을 가장 재미있게 보내는 방법

#098 버스에 함께 타고 있는 사람들을 모두 쫓아내보자.

#099 나를 좋아하는 사람들

#100 그 누구도 읽을 수 없는 글을 써라.

#101 내가 좋아하는 사람들

#102 똥을 쌌는데 휴지가 없다.

#103 집 앞에서 외계인을 만났다.

#104 우리 반을 배경으로 사랑스러운 로맨스 소설을 써라.

#105 내 신발에게 심심한 위로의 편지를 써라.

#106 발명되지 않았어야 하는 발명품

#107 최첨단 유모차

#108 나의 단점 1가지를 써라.
그리고 그 단점의 좋은 점을 찾아라.

#109 교실에 매점이 있다면

#110 CCTV가 설치된 교실의 모습

#111 내가 가지고 있는 물건 중 가장 비싼 물건을 묘사해라.

#112 나만 하루가 25시간이라면 1시간을 어디에
사용할 것인가?

#113 남들이 알면 안 되는 비밀

#114 내일 지구가 멸망한다면

#115 초등학교 1학년에게 해주고 싶은 최고의 조언

#116 구름은 무슨 맛일까?

#117 담배를 발명한 사람에게 증오의 편지를 써라.

#118 돈 주고 사기 아까운 것

#119 착한 거짓말

#120 이해할 수 없는 어른들의 말이나 행동

#121 참을 수 없이 오글거리는 애정 멘트를 써라.
　　　이를테면 '다이어트 하지 마.
　　　1g이라도 네가 사라지는 건 싫어.' 따위

#122 내 인생 최초의 도둑질

#123 운동장 대신 아이스링크장이 생긴다면

#124 아빠가 범블비를 가지고 오셨다.
　　　(범블비: 영화 트랜스포머에 나오는 자동차 로봇)

#125 지금까지 살면서 가장 부자였을 때

#126 무엇이든지 좋다. 이루고 싶은 3가지 소원을 써라.

#127 새우깡 봉지를 뜯었는데

#128 달콤한 빗물

#129 신문 1면에 웃는 내 사진이 실렸다.
　　　이 사진에 어울리는 뉴스 기사를 써라.

#130 다른 사람에게 오해받았던 적

#131 길거리에서 담배를 피우는 사람들을 향한 경고 편지

#132 이 음식만큼은 포기할 수 없다.

#133 세상에 남자(여자)가 나 혼자라면

#134 달에서 돈을 벌 수 있는 방법

#135 30초 안에 눈물을 흘리려면 어떤 생각을 하면 될까?

#136 타임머신을 단 1번 이용할 수 있다.
　　　과거로 갈까? 미래로 갈까?

#137 수학여행 가는 날 아침,
　　　7시까지 학교에 가야 하는데 8시 30분에 일어났다.

#138 내 인생 최초의 싸움

#139 1학년 수준으로 일기를 써라.

#140 어른이 된다면 해보고 싶은 것

#141 친구에게 미안했던 일

#142 성공이란?

#143 수업 시간에 방귀를 뀌었을 때 자연스럽게 넘어갈 수
       있는 방법

#144 동생이 있으면 좋은 점

#145 조선시대에 스마트폰이 발명되었다면

#146 선생님들께서 겪으시는 어려움

#147 비행기 창문을 밀었는데 창문이 열렸다.
       (원래 비행기는 창문이 열리지 않는다.)

#148 남들이 들으면 눈물 나는 나만의 안타까운 이야기

#149 내 그림자는 하루 종일 무슨 생각을 할까?

#150 시험지 답을 고민하다가 마지막에 고쳐서 틀린 경험

#151 나는 기억하지 못하지만 다른 사람들은 기억하는
　　　나의 과거

#152 혼자 끝말잇기를 해라. 최소 50단어가 나와야 한다.

#153 1989년 3월 26일자 신문으로 할 수 있는 일

#154 1교시가 시작되었다. 그런데 바지에 오줌을 쌌다.

#155 갑자기 중국어를 유창하게 할 수 있게 되었다.

#156 세상에서 가장 유쾌한 유언장을 써라.

#157 솔직히 만 원권 지폐에는 세종대왕보다…

#158 순간 이동이 가능하다면 가고 싶은 곳

#159 날개가 있으면 편한 점과 불편한 점

#160 지금까지 살면서 가장 가난했을 때

#161 기분 나쁜 꿈

#162 내 어머니

#163 여기가 지옥이다.

#164 아무도 없는 길거리에서 100만 원이 든 가방을 주웠다.

#165 내 어머니의 어머니, 그 어머니의 어머니,
또 그 어머니의 어머니는 어떤 사람이었을까?

#166 책상에 하고 싶은 낙서를 여기에 해라.

#167 내가 생활하는 모든 모습이 TV를 통해 전 세계로
생중계되고 있다는 사실을 알게 되었다.

#168 산타의 진실을 언제, 어떻게 알게 되었나?

#169 가장 기뻤을 때

#170 버킷리스트를 작성해라.
(버킷리스트 : 죽기 전에 꼭 해야 할 일이나 달성하고
싶은 목표 리스트)

#171 우리 반에 불필요한 것

#172 지상 100m에서 번지점프를 했다.
30m쯤 내려왔을 때 로프를 몸에 묶지 않고
뛰어내렸다는 사실을 깨달았다.

#173 현금 100만 원 vs 문화상품권 105만 원

#174 절대 '네'라고 대답할 수 없는 질문을 10가지 만들어라.

#175 죽음의 문턱에서 저승사자가 당신을 데리러 왔다.
저승사자를 따돌릴 구체적인 계획을 세워라.

#176 20년 뒤에 선생님을 다시 만났다.

#177 우리 선생님은 학교생활기록부에 나에 대해서 뭐라고 적으실까?

#178 다른 사람을 오해했던 적

#179 무지개의 끝에는 무엇이 있을까?

#180 남들에게 '너 정말 게으르다.'라는 말을 듣기 위한 방법

#181 갑자기 일본어를 유창하게 할 수 있게 되었다.

#182 맑은 날 우산으로 할 수 있는 일

#183 대한민국에 아직 양반, 중인, 상민, 천민의 신분 제도가 남아있다면

#184 친일파에게 보내는 분노의 편지

#185 추락하는 비행기에서 단 1건의 문자 메시지를 보낼 수 있다면

#186 단군신화에서 환웅은 웅녀를 어떻게 꼬셨을까?

#187 누구나 공감할 수 있는 이야기.
이를테면 '우리 아빠는 항상 뉴스만 본다.' 따위

#188 영화관에서 할 수 있는 가장 매너 없는 행동

#189 무인자동차가 실용화된다면 자동차에서 할 수 있는 일

#190 미래에 우산을 대체할 발명품

#191 코끼리를 냉장고에 넣는 방법

#192 달팽이가 느리게 기어가는 이유

#193 방귀를 뀌었는데 우주로 튕겨져나갔다.

#194 핵폭탄 개발에 성공했다.

#195 돈으로 살 수 없는 것

#196 태양에게 보내는 감사 편지

#197 모기약을 맞고 죽어가는 모기의 심정

#198 '질소를 샀는데 과자를 덤으로 주네요.'라는 문장을
　　　이용해서 과자 회사에 보내는 항의 편지를 써라.

#199 중국집에서 1,000원으로 짜장면을 사먹는 방법

#200 내가 원하는 급식 식단표

#201 겨울을 따뜻하게 보낼 수 있는 방법

#202 끝말잇기에서 무조건 이길 수 있는 단어 10가지 찾기

#203 '사랑'이라는 단어가 들어가는 노래 가사를 적어라.
　　　단, '사랑'을 '방귀'로 바꿔서 써라.

#204 우리 반에 필요한 것

#205 최고의 생일 선물

#206 가장 마음에 들지 않는 친구를 떠올려라.
　　　그리고 그 친구의 장점을 10가지 찾아라.

#207 이거 사주세요.

#208 신이 나에게 와서 잠시 신 역할을 대신해달라고 한다.

#209 다음 생애에 과일로 태어난다면 무슨 과일로 태어나고
싶은가?

#210 불치병에 걸려 3개월 후에 죽는다는 사실을 알게 된다면

#211 오늘은 엄마가 돌아가신지 10년째 되는 날이다.
엄마에게 보내는 편지를 써라.

#212 칼로는 할 수 있지만 가위로는 할 수 없는 일

#213 '자고 일어나니 유명해졌어요.'로 시작하는
인터뷰를 써라.

#214 '신데렐라는 백마 탄 왕자님을 만나 행복하게
살았답니다.' 그 뒤에 일어날 일을 동화로 써라.

#215 친구에게 고마웠던 일

#216 아주 정성스럽게 내 얼굴을 그려라. 그리고 그 밑에 사인을 하고 오늘 날짜를 써라. 이 작품은 20년 뒤 백억 원에 팔릴 것이다.

#217 피아노, 기타, 리코더를 연주하는 새로운 방법

#218 최근에 있었던 일중에서 아주 사소한 것이라도 반성하라.

#219 친구가 갑자기 나에게 "너 미쳤어?"라고 소리친다.

#220 최고의 선생님이란?

#221 중력이 사라진 지구의 모습

#222 모두 전학을 가고 우리 반에 나만 남았다.

#223 고속도로 휴게소를 처음 이용하는 동생을 위한 설명서

#224 내가 기억하는 가장 어렸을 때의 기억

#225 엄청나게 큰 걸어 다니는 물고기들이 지구를 정복했다.

#226 10단어 이하로 눈물 나는 이야기를 써라.
　　　　예) 팝니다: 아기신발, 한 번도 신지 않았어요.

#227 안경을 쓰면 좋은 점과 나쁜 점

#228 62살에 50년 전을 회상하는 글을 써라. 그땐 그랬지…

#229 뉴스 속보: 12시간 후 남북통일 합의

#230 만약

#231 내가 대통령이 된다면 가장 먼저 시행할 정책

#232 다 빌려줄 수 있지만 이것만큼은 빌려줄 수 없다.

#233 무조건 일어날 수밖에 없는 알람시계를 발명해보자.

#234 학교에 왔는데 우리 반이 사라졌다.
　　　　무슨 일이 일어난 걸까?

#235 그때 그랬어야만 했다.

#236 당신이 생각하는 가장 나쁜 범죄를 써라. 그리고
이 범죄를 저지른 범죄자를 변호하는 변호문을 써라.
(참고로 대개 변호문은 '존경하는 재판장님'으로 시작한다.)

#237 급식을 남기는 나만의 노하우

#238 친구와 싸웠을 때 화해하는 방법

#239 솔직히 이건 내가 잘못했다.

#240 세상에서 가장 한심한 일

#241 수업 시간에 내가 자주 하는 생각

#242 놀이공원을 처음 이용하는 동생을 위한 설명서

#243 수도꼭지를 틀었는데 초코우유가 나온다.

#244 어제, 오늘, 내일

#245 성형수술을 할 수 있다면

#246 대한민국에서 초등학생으로 산다는 것

#247 무단횡단을 해도 되는 경우

#248 내가 배신당한 경험

#249 부자가 되기 위한 구체적인 조건

#250 우리 반에서 병아리를 키웠을 때 생길 수 있는 일

#251 당신은 홈쇼핑 쇼호스트다. 오늘 팔 물건은 '분필'이다.
　　　아줌마들이 '분필'을 사고 싶게 만들어라.

#252 인간의 본성은 착한가? 나쁜가?

#253 시간의 소중함을 알려주는 명언을 써라.
　　　단, 자기 생각을 써라.

#254 내 아버지

#255 엄마가 좋아? 아빠가 좋아?

#256 여름방학이 120일이라면

#257 1가지 과목을 만들 수 있다면 무슨 과목을 만들겠는가?

#258 내 인생에서 가장 착한 일

#259 나는 객관적으로 100점 만점에 몇 점짜리 학생인가?

#260 수업시간에 핸드폰 벨소리가 울릴 때 자연스럽게 넘어갈 수 있는 방법

#261 선생님에게 바라는 것 3가지

#262 엄마나 아빠는 하지 않으면서 나에게는 시키는 것

#263 지금 먹고 싶은 음식, 그리고 지금 그 음식을 먹을 수 있는 방법

#264 절대 '아니오.'라고 대답할 수 없는 질문을 10가지 만들어라.

#265 만수르가 나에게 전 재산을 주었다.
　　　(만수르: 세계적인 갑부, 재산 약 1,000조 원 추정)

#266 최악의 생일 선물

#267 학교에서 배워서 다행인 것

#268 세상의 모든 물이 콜라로 변한다면

#269 뉴스 속보: 12시간 뒤 소행성과 충돌

#270 초등학생이 좋아할 만한 글쓰기 소재 10가지를 써라.
　　　단, 이 책에 있는 소재는 안된다.

#271 당신은 한석봉이다. 어머니가 호롱불을 끄며 이렇게
　　　말한다. "나는 떡을 썰 테니 너는 글을 쓰거라." 잠시 뒤
　　　호롱불이 켜졌다. 당신은 글씨를 굉장히 잘 썼는데
　　　어머니는 떡을 엉망으로 썰었다. 그 뒷이야기를 써라.

#272 난 이것만큼은 국가대표가 될 수 있다.

#273 20년 뒤 내 아들(딸)에게 보내는 편지

#274 내 생애 가장 자랑스러웠던 일

#275 겨울방학이 120일이라면?

#276 이름으로 삼행시를 지어라.

#277 3살 꼬마에게 '학교'를 설명하라.

#278 1945년 8월 15일, 일본으로부터 해방되지 않았다면

#279 와이파이와 데이터 통신이 끊어진 스마트폰으로 할 수
있는 가치 있는 일

#280 엄마가 보고 싶은 순간

#281 학교 가는 길에 볼 수 있는 것

#282 학교 선생님과 학원 선생님의 차이

#283 이제는 말할 수 있다.

#284 여름인데 눈이 온다.

#285 그럴듯한 광고 문구를 써서 공기를 팔아보자.

#286 10, 9, 8, 7, 6, 5, 4, 3, 2 …

#287 내 무덤 앞에 세워질 묘비명을 지어라.

#288 엄마나 아빠의 잔소리 Best 3

#289 오늘은 아빠가 돌아가신지 10년째 되는 날이다.
　　　아빠에게 보내는 편지를 써라.

#290 솔직히 우리 반에 나 같은 학생이 1명 더 있으면

#291 초등학생이 입을 수 있는 최첨단 교복을 만들어보자.

#292 '일찍 일어난 새가 벌레는 잡는다. → 늦게 일어난
　　　벌레가 새에게 잡아먹히지 않는다.'처럼 속담 5개를
　　　바꿔보자.

#293 라면을 맛있게 먹는 방법

#294 어두운 골목에서 강도를 만났을 때 안전하게 집에
　　　 갈 수 있는 방법

#295 내일 개학이다.

#296 세상에서 가장 가치 있는 일

#297 당신은 도서평론가이다. 이 책은 어떤가?

#298 솔직히 이건 아빠가 잘못했다.

#299 내가 배신한 경험

#300 지구 말고 생명체가 살고 있는 행성의 모습을 묘사해라.

#301 "뭐 이런 학교가 다 있어?"라는 말이 나올 것 같은
　　　 학교의 모습을 묘사해라.

#302 당신은 억울하게 감옥에 갇혀있다.
　　　 구체적인 탈옥 계획을 세워라.

#303 '가, 나, 다, 라 …'로 시작하는 14행시를 지어라.

#304 가장 슬펐을 때

#305 '달에 갔더니…'로 시작하는 이야기를 써라.

#306 꿈을 찍는 사진기가 있다.
　　　내일 아침 일어나서 어떤 사진을 보고 싶은가?

#307 다음 생애에 동물로 태어난다면 무슨 동물로 태어나고
　　　싶은가?

#308 우리 엄마의 요리 솜씨를 평가해라.

#309 숟가락으로는 할 수 있지만 젓가락으로는 할 수 없는 일

#310 지금은 별거 아니지만 어렸을 때는 정말 무서웠던 것

#311 일주일 안에 3kg을 감량하기 위한 구체적인 계획을
　　　세워라.

#312 인류가 멸망하고 당신만 살아남았다. 외계인에게 전달
　　　할 '행성 멸망 속에서 살아남는 법'이라는 글을 써라.

#313 첫 월급을 탔을 때 부모님께 드릴 선물을 미리 골라라.

#314 선생님에게 추천해주고 싶은 문구점 과자

#315 내가 공부를 하는 이유

#316 애를 낳았는데 한 달 동안 밤에 잠을 안 자고 두 시간
마다 깨서 시끄럽게 울기만 한다. 어떤 심정일까?
참고로 네가 그랬다.

#317 여름 vs 겨울

#318 운동장에서 공룡 뼈를 발견했다.

#319 20년 뒤 내 남편(부인)에게 보내는 편지

#320 내 아들의 아들, 그 아들의 아들, 또 그 아들의 아들은
어떤 사람일까?

#321 가위, 소금, 버스, 고양이가 들어가게 이야기를 써라.

#322 북극에서 에어컨을 팔 수 있는 방법

#323 내 생애 최고의 순간

#324 이 세상에서 사라져야 할 것

#325 아무도 없는 엘리베이터에서 아주 독한 방귀를
　　　뀌었다. 갑자기 문이 열리고 내가 좋아하는 그 아이가
　　　들어온다.

#326 초등학교라는 말이 들어가지 않게 우리학교에
　　　어울리는 이름을 지어라.
　　　이를테면 '울트라 슈퍼 짱짱 밥그릇' 따위

#327 선생님을 생각하면 떠오르는 단어 3가지와 그 이유

#328 내 인생에서 가장 화가 났던 일

#329 내가 사는 이유

#330 봄 vs 가을

#331 엄마가 나를 보고 느끼는 감정

#332 거울을 보고 이렇게 말해라.
　　"거울아, 거울아. 이 세상에서 누가 제일 예쁘니
　　(잘 생겼니)?" 그럼 거울은 무슨 생각을 할까?

#333 내 딸의 딸, 그 딸의 딸, 또 그 딸의 딸은 어떤 사람일까?

#334 삶이 아름다운 이유

#335 절대 지킬 수 없는 생활계획표 만들기

#336 구걸을 하는 장님이 있다.
　　장님은 이런 글이 적힌 종이 쪼가리를 들고 있다.
　　'저는 앞을 보지 못 합니다. 도와주세요.'
　　사람들은 이 장님을 무시하며 지나간다.
　　사람들이 이 장님을 도와줄 수 있게
　　종이 쪼가리에 적힌 글을 바꿔보자.

#337 우선 지금 시각을 써라.
　　그다음 1시간 뒤에 내가 무엇을 하고 있을지 써라.
　　그리고 글을 쓰고 1시간 지난 후
　　실제로 무엇을 하고 있는지 써라.
　　두 개의 글을 비교해보자.

#338 빨래를 제외하고 세탁기로 할 수 있는 유용한 일

#339 3일 만에 사막에서 오아시스를 찾았다.

#340 1, 2, 3, 4, 5, 6, 7, 8, 9, 10으로 숫자송 가사 쓰기

#341 바퀴벌레와 친구가 되는 방법

#342 지구는 언제, 왜 멸망할까?

#343 내 생애 최악의 순간

#344 그럴 듯한 세로이야기를 써라.
    ('정'부터 첫 글자만 세로로 읽어라.)
    정말 나한테 이럴 수 있어? 내가
    말할 때마다 내 말 무시하고
    사람가지고 장난해? 너
    랑 친구라는 게 창피하다.
    해도 해도 너무해.

#345 내가 원하는 시간표

#347 일본이 독도를 포기하게 만드는 방법

#348 군고구마를 맛있게 먹는 방법

#349 친구들이 나를 칭찬한다면 뭐라고 칭찬할까?

#350 부모님에게 "사랑해요."라고 말해라.
　　　그리고 부모님의 반응을 써라.

#351 뼈있는 치킨 vs 순살 치킨

#352 60살 생일에 받고 싶은 선물

#353 10만 원을 100만 원으로 불릴 수 있는 방법

#354 학교폭력을 완전히 없앨 수 있는 방법

#355 10년 뒤의 나의 모습

#356 자고 일어나니 아이돌 가수가 되었다.

#357 내가 학교를 좋아하는 이유

#358 갑자기 세상의 모든 시계가 사라졌다.

#359 아기는 어떻게 생기는가?

#360 내 인생 최초의 컵라면

#363 학교 종소리로 울리면 좋을 소리

#364 선생님께서는 하지 않으시면서 나에게 시키시는 것

#365 내가 선생님을 좋아하는 이유 11가지

#366